RAYMOND RADIGUET

LE DIABLE AU CORPS

EASY · READERS
ER
FACILE·A·LIRE

Les structures et le vocabulaire de ce livre sont fondés sur
une comparaison des ouvrages suivants :
Börje Schlyter : Centrala Ordförrådet i Franskan
Albert Raasch : Das VHS-Zertifikat für Französisch
Etudes Françaises – Echanges
Sten-Gunnar Hellström, Sven G. Johansson : On parle français
Ulla Brodow, Thérèse Durand : On y va

Rédacteurs de serie :
Ulla Malmmose et Charlotte Bistrup

RÉDACTEUR
Ellis Cruse, *Danemark*

CONSEILLERS
Monica Rundström, *Suède*
Otto Weise, *Allemagne*
Ragnhild Billaud, *Norvège*
Harry Wijsen, *Pays-Bas*
G.N. Perren, *Grande-Bretagne*
André Fertey, *U.S.A.*

Couverture : Ib Jørgensen
Illustrations : Oskar Jørgensen

1974 © par ASCHEHOUG/ALINEA
ISBN Danemark 978-87-23-90329-7
www.easyreader.dk

Imprimé au Danemark par
Sangill Grafisk Produktion, Holme Olstrup

RAYMOND RADIGUET
(1903-1923)

est nè à Saint-Maur en 1903. Dès l'âge de quatorze ans, il écrit des vers. A seize ans, il correspond avec d'autres écrivains et commence à écrire son premier roman, LE DIABLE AU CORPS, qui paraîtra en 1923. Il devient l'ami des poètes Max Jacob et Jean Cocteau qui le poussent à publier un recueil de poèmes, LES JOUES EN FEU, qui paraîtra en 1920.

Il meurt de la typhoïde, en décembre 1923, sans avoir vu paraître son second roman, LE BAL DU COMTE D'ORGEL (1924).

LE DIABLE AU CORPS se passe pendant la guerre de 1914. Un jeune adolescent devient l'amant d'une jeune femme, dont le mari est au *front.* Ce livre est considéré comme une fausse autobiographie, si bien écrite qu'elle semble vraie.

Radiguet a écrit ses livres à une époque où le surréalisme dominait la littérature française, mais il n'a pas subi son influence, et ses œuvres peuvent plutôt être considérées comme appartenant au classicisme.

Ce livre a eu un très grand succès, et en 1946 on en a fait un film avec Gérard Philipe comme interprète principal.

---

front, lieu où les soldats se battent

1

Est-ce ma faute si j'eus douze ans quelques mois avant la *déclaration de guerre?* Sans doute, les troubles que j'*éprouvai* pendant cette période extraordinaire, furent d'une sorte qu'on ne connaît pas à cet âge. Mais comme même les événements les plus forts ne peuvent pas nous *vieillir,* c'est en enfant que je devais me conduire dans cette *aventure* que je vais vous raconter. Et je ne suis pas le seul. Mes camarades garderont de cette époque un souvenir qui n'est pas celui de leurs parents. Ne me faites pas de *reproches,* car il faut vous dire ce que fut la guerre pour tant de très jeunes garçons: quatre ans de grandes vacances.

Nous habitions à F..., au bord de *la Marne.*

Mes parents *interdisaient* que l'on jouât avec les filles. Ainsi, jusqu'à douze ans, je n'avais jamais été amoureux, sauf d'une petite fille, nommée Carmen, à qui je fis remettre, par un garçon plus jeune que moi, une lettre dans laquelle je lui exprimais mon amour.

Ma lettre lui avait été remise le matin avant qu'elle n'allât à l'école. Après avoir déjeuné avec mes parents, je m'en allai moi-même à l'école.

Nous étions tous assis, quand le directeur entra.

---

déclaration de guerre, acte par lequel un Etat annonce à un autre Etat qu'il entre en guerre avec lui
éprouver, sentir
vieillir, rendre vieux
aventure, ici: sens amoureux
reproche, critique que l'on adresse à une personne pour lui exprimer que l'on n'est pas content d'elle
la Marne, grande rivière qui se jette dans la Seine, à l'est de Paris
interdire, défendre, ne pas permettre

Les élèves se levèrent. Il tenait une lettre à la main. Mes jambes se mirent à trembler. Déjà, les élèves des premiers bancs se tournaient vers moi, qui étais au fond de la classe, car ils entendaient *chuchoter* mon nom.

Enfin le directeur m'appela, me *félicita* d'avoir écrit une lettre de douze lignes sans aucune faute, puis il me pria de le suivre dans son bureau. Là, il me menaça d'envoyer la lettre chez moi. Je le *suppliai* de ne pas le faire. Il *céda,* mais me dit qu'il conservait la lettre, et que si je recommençais, il ne pourrait plus cacher ma mauvaise *conduite.*

A une heure, j'avais supplié le directeur de ne rien dire à mon père; à quatre, je brûlais d'envie de lui raconter tout. Sachant que mon père ne *se fâcherait* pas, je voulais qu'il connût mon *audace.*

Je lui avouai donc tout, et ajoutai avec orgueil que le directeur m'avait promis de ne rien dire. Mais mon père voulait savoir si je disais vraiment la vérité. Il alla chez le directeur. «Quoi?» dit celui-ci surpris de voir mon père. «Il vous a raconté cela? Il m'avait supplié de me taire, disant que vous le tueriez.»

Mon père était tellement *choqué* par la conduite du directeur qu'il décida de me laisser finir mon *année scolaire,* et de me faire quitter cette école tout de suite après.

---

chuchoter, parler à voix basse
féliciter, dire à qn que l'on est content de ce qu'il a fait (ici: ironiquement)
supplier, demander avec insistance
céder, cesser de s'opposer
conduite, façon de se conduire
se fâcher, se mettre en colère
audace, courage qui conduit à faire qc de difficile ou dangereux
choqué, désagréablement surpris
année scolaire, les neuf mois de l'année où les élèves vont à l'école

Ma mère trouvait que j'étais trop jeune pour aller à *Henri-IV*. Pour elle, cela voulait dire: pour prendre le train. Je restai donc deux ans à la maison et travaillai seul. J'étais heureux, car j'étais libre plus de la moitié de la journée, et je me promenais seul au bord de la Marne.

Mais vint la guerre.

A vrai dire, chacun se réjouissait en France. Les enfants se pressaient devant les *affiches*. Les mauvais élèves profitaient du trouble de leur famille.

Nous allions chaque jour, après dîner, à la gare de J…, à deux kilomètres de chez nous, pour voir passer les trains militaires. Nous emportions des fleurs et nous les lancions aux soldats. Des dames versaient du vin dans les *bidons* et en répandaient des litres sur le *quai* couvert de fleurs. Tout cet ensemble me laisse un souvenir de fête.

Henri-IV, grand lycée de garçons, à Paris
à vrai dire, pour dire la vérité
bidon et *quai,* voir illustration page 10

quai

bidon

Questions

1. Pourquoi le jeune garçon avoue-t-il à son père l'incident qui s'est produit à l'école?

2. Que pensez-vous de l'éducation des enfants à cette époque?

3. Pourquoi la guerre de 14 commence-t-elle dans une atmosphère de fête?

2

Je devais entrer au lycée Henri-IV. Mais mon père préféra me garder encore un an à la campagne. Ma seule *distraction* de ce triste hiver fut de courir chez notre *marchand* de journaux, pour être sûr d'avoir un exemplaire du MOT, journal qui me plaisait beaucoup et paraissait le samedi. Ce jour-là, je ne me levais jamais tard.

Le printemps arriva, ce qui me rendit l'envie des aventures. Pour la première fois, j'eus un ami. Pour la première fois, je *m'entendais* avec un garçon aussi *précoce* que moi, admirant même sa beauté, son audace. Notre *mépris* commun pour les garçons de notre âge nous rapprochait encore. Nous seuls, nous étions capables de comprendre les choses; et, enfin, nous seuls, nous nous trouvions dignes des femmes. Nous nous croyions des hommes. Par chance, nous n'allions pas être séparés. René allait déjà au lycée Henri-IV, et je serais dans sa classe.

Le jour de la *rentrée des classes,* René me fut un aide *précieux.*

Avec lui tout devenait un plaisir. Moi qui, seul, ne marchais jamais, j'aimais maintenant faire à pied, deux

---

distraction, ce qu'on fait pour s'occuper agréablement
marchand, celui qui vend qc
s'entendre (avec qn), avoir des goûts communs
précoce, qui est en avance pour son âge
mépris, le fait de juger que qn ou qc ne vaut rien
rentrée des classes, le moment où les élèves reprennent l'école
après les vacances d'été
précieux, d'une grande valeur

fois par jour, le *trajet* qui sépare Henri-IV de la gare de la Bastille, où nous prenions notre train.

Trois ans passèrent ainsi, sans autre amitié et sans autre espoir que les jeux du *jeudi,* avec les petites filles que les parents de René invitaient à *goûter* avec nous, et qui étaient des amies de sa sœur.

---

trajet, distance pour aller d'un endroit à l'autre
jeudi, en France, les élèves n'allaient pas en classe le jeudi
goûter, léger repas que l'on prend dans l'après-midi

Questions

1. Que pensez-vous de l'enfance du jeune garçon?

2. Que pensez-vous de l'amitié entre les deux garçons?

3. Qu'y a-t-il de changé dans la vie de l'auteur?

3

peinture

catalogue

La belle saison venue, mon père aimait nous emmener, mes frères et moi, dans de longues promenades. Un de nos buts préférés était Ormesson, et de suivre le Morbras, rivière large d'un mètre, traversant des *prairies* où poussent des fleurs qu'on ne rencontre nulle part ailleurs, et dont j'ai oublié le nom.

Un dimanche d'avril 1917, comme cela nous arrivait souvent, nous prîmes le train pour La Varenne, d'où nous devions *nous rendre à pied* à Ormesson. Mon père me dit que nous retrouverions, à La Varenne, des gens agréables, les Grangier. Je ne les connaissais pas, mais j'avais vu le nom de leur fille, Marthe, âgée de dix-huit ans, dans le *catalogue* d'une exposition de *peintures*.

Sur le quai de la gare de La Varenne, les Grangier nous attendaient. M. et Mme Grangier devaient être du même âge, approchant de la cinquantaine. Mais Mme Grangier paraissait plus âgée que son mari; son manque d'élégance, sa taille courte, firent qu'elle me *déplut* au premier coup d'œil.

---

prairie, grand terrain avec de l'herbe
se rendre à pied, marcher
déplaire, ne pas plaire

Le père, lui, avait l'air d'un brave homme, ancien sous-officier, *adoré* de ses soldats. Mais où était Marthe? Je tremblais à l'idée d'une promenade sans autre compagnie que celle de ses parents. Elle devait venir par le prochain train, expliqua Mme Grangier, n'ayant pu être prête à temps. Son frère arriverait avec elle.

Quand le train arriva, Marthe était debout sur le *marchepied* du *wagon*. «Attends bien que le train s'arrête», lui cria sa mère. Mais l'*imprudence* de la jeune fille m'*enchanta*.

marchepied

wagon

Elle donnait la main à un petit garçon qui paraissait avoir onze ans. C'était son frère, enfant pâle, aux cheveux très blonds, et qui n'avait pas l'air d'être en très bonne santé.

Sur la route, Marthe et moi marchions devant. Mon père marchait derrière, entre les Grangier. Mes frères, eux, avaient l'air de *s'ennuyer* avec ce nouveau petit camarade qui n'avait pas le droit de courir.

Je fis des compliments à Marthe sur ses peintures,

adorer, aimer beaucoup
imprudence, manque de prudence (qualité qui permet de prévoir et d'éviter une faute ou un danger)
enchanter, donner beaucoup de plaisir
s'ennuyer, trouver le temps long

mais elle me répondit modestement que c'étaient des *études* et qu'elle n'y attachait aucune importance.

Sous son chapeau elle ne pouvait bien me voir. Moi, je l'observais.

– Vous ressemblez peu à madame votre mère, lui dis-je.

En fait, c'était un compliment.

– On me le dit quelquefois. Mais quand vous viendrez à la maison, je vous montrerai des photos de maman lorsqu'elle était jeune, je lui ressemble beaucoup.

Je fus déçu de cette réponse, et je priai Dieu de ne pas voir Marthe quand elle aurait l'âge de sa mère.

– Vous avez tort de vous *coiffer* ainsi, lui dis-je, une coiffure plus simple vous irait mieux.

J'étais surpris moi-même de mon audace. Jamais, je n'avais dit une chose pareille à une femme.

J'essayais de deviner ses goûts en littérature. Je fus heureux qu'elle connût Baudelaire et Verlaine, enchanté de la façon dont elle aimait Baudelaire, qui n'était pourtant pas la mienne. Je devinais une certaine *révolte* en elle. Ses parents avaient fini par admettre ses goûts, mais Marthe savait que c'était par tendresse et cela lui déplaisait.

Son *fiancé,* dans ses lettres, lui parlait de ce qu'il lisait, et s'il lui conseillait certains livres, il lui en défendait d'autres. Il lui avait défendu LES FLEURS DU MAL de Baudelaire. Désagréablement surpris d'apprendre qu'elle était fiancée, je me réjouis de savoir

---

étude, ici: début de peinture avant le tableau définitif
coiffer, manière d'arranger les cheveux
révolte, opposition violente contre qn ou qc
fiancé, -e, personne qui a promis le mariage à une autre

qu'elle désobéissait à un soldat assez naïf pour craindre Baudelaire. Je fus heureux de sentir qu'il devait souvent irriter Marthe.

Son fiancé lui avait aussi défendu les *académies de dessin*. Moi qui n'y allais jamais, je lui proposai de l'y conduire, ajoutant que j'y travaillais souvent. Mais, craignant que mon *mensonge* ne fût découvert, je la priai de ne pas en parler à mon père. Il ignorait, dis-je, que je *manquais des cours* de gymnastique pour aller à la *Grande-Chaumière*. J'étais heureux qu'il existât maintenant un secret entre nous, et moi, *timide*, me sentais déjà *tyrannique* avec elle.

Quelquefois ses parents l'appelaient: «Regarde, Marthe, à ta droite, comme c'est joli», ou bien, son frère s'approchait d'elle et lui demandait le nom d'une fleur qu'il venait de *cueillir*.

Nous nous assîmes dans les prairies d'Ormesson. Je regrettais d'avoir été si loin dans notre conversation. Je croyais avoir déclaré mon amour à une personne insensible. J'oubliais que M. et Mme Grangier auraient pu entendre facilement tout ce que j'avais dit à leur fille. Mais, moi, aurais-je pu lui dire la même chose en leur présence?

– Marthe ne m'*intimide* pas, me répétais-je. Donc, seuls, ses parents et mon père m'empêchent de me pencher sur son cou et de l'embrasser.

---

académie de dessin, école où l'on apprend à dessiner
mensonge, déclaration fausse
manquer des cours, ne pas aller à l'école
Grande-Chaumière, académie de dessin, à Paris
timide, qui manque d'assurance
tyrannique, qui exerce une trop grande autorité
cueillir, prendre (une fleur)
intimider, inspirer de la gêne

Au fond de moi, un autre garçon pensait:

– Quelle chance que je ne me trouve pas seul avec elle! Car je n'oserais pas davantage l'embrasser, et n'aurais alors aucune excuse.

Arrivés à F..., nous dîmes adieu aux Grangier. Je promis à Marthe de lui porter, le jeudi suivant, la *collection* du journal LE MOT et UNE SAISON EN *ENFER*.

– Encore un titre qui plairait à mon fiancé!

Elle riait.

Mon père et mes frères s'étaient ennuyés, *qu'importe!* Le bonheur est égoïste.

---

collection, ici: tous les numéros du journal
enfer, lieu où les méchants sont punis après la mort
qu'importe!, aucune importance!

Questions

1. Que pensez-vous de la conduite du jeune garçon avec Marthe?

2. Quelles sont les qualités de la jeune fille qui attirent l'auteur?

3. L'attitude du jeune garçon vous paraît-elle étonnante pour son âge?

4. Avez-vous l'impression que Marthe aime vraiment son fiancé?

5. Quelle est l'importance de ce premier secret?

6. Pourquoi l'auteur propose-t-il à Marthe de lui apporter le jeudi suivant la collection du MOT?

4

Le lendemain, au lycée, je n'éprouvai pas le besoin de raconter à René, à qui je disais tout, ma journée du dimanche. Car je ne voulais pas qu'il se moquât de moi s'il apprenait que je n'avais pas embrassé Marthe *en cachette*. Autre chose m'étonnait: c'est qu'aujourd'hui je trouvais René moins différent de mes camarades.

Eprouvant de l'amour pour Marthe, j'en ôtais à René, à mes parents, à mes frères et sœurs.

Je me promettais de ne pas venir la voir avant le jour de notre *rendez-vous*. Pourtant, le mardi soir, ne pouvant attendre, je sus trouver à ma faiblesse de bonnes excuses pour lui porter, après dîner, le livre et les journaux.

Pendant un quart d'heure, je courus comme un fou jusqu'à sa maison. Je sonnai. J'entrai dans la maison. Je demandai à la *domestique* si Madame était chez elle. Presque aussitôt, Mme Grangier parut dans la petite pièce où l'on m'avait introduit. Rougissant, je la priai de m'excuser de la déranger à une heure pareille, comme s'il avait été une heure du matin. Je lui expliquai que je ne pouvais venir jeudi apporter le livre et les journaux à sa fille.

– C'est très bien, me dit Mme Grangier, car Marthe n'aurait pu vous recevoir. Son fiancé a obtenu une *permission,* quinze jours plus tôt qu'il ne pensait. Il est

---

en cachette, secrètement,
rendez-vous, décision prise en commun par deux ou plusieurs personnes de se retrouver à la même heure en un même lieu
domestique, personne attachée au service d'une maison
permission, liberté de courte durée accordée à un soldat

arrivé hier, et Marthe dîne ce soir chez ses futurs *beaux-parents*.

Je m'en allai donc, et puisque je n'avais plus de chance de la revoir jamais, croyais-je, je m'efforçais de ne plus penser à Marthe.

Pourtant, un mois après, un matin, sautant du train à la gare de la Bastille, je la vis qui descendait d'un autre train. Elle allait acheter différentes choses pour son mariage. Je lui demandai de m'accompagner jusqu'à Henri-IV. *Finalement,* je décidai d'entrer en classe une heure plus tard, et nous allâmes nous promener au *jardin du Luxembourg*.

Au cours de la conversation, Marthe m'apprit qu'elle déjeunait chez ses beaux-parents. Je décidai de *renoncer au lycée* toute la matinée et de rester avec elle. Marthe fut très surprise, n'étant pas habituée à ce qu'on abandonnât pour elle tous ses devoirs de classe.

– Allons, accompagnez-moi dans les *magasins,* puisque vous êtes décidé à ne pas aller en classe, finit-elle par dire.

Je l'accompagnai dans plusieurs maisons de *lingerie,* l'empêchant d'acheter ce qui lui plaisait et ne me plaisait pas; par exemple tout ce qui était rose, sa couleur préférée.

Après ces premières victoires, il fallait obtenir de Marthe qu'elle ne déjeunât pas chez ses beaux-parents.

---

beaux-parents, les parents de son mari
finalement, en conclusion, après avoir réfléchi
jardin du Luxembourg, grand parc public, à Paris
renoncer au lycée, ne pas aller au lycée
magasin, lieu où l'on peut acheter différentes choses
lingerie, vêtement léger que l'on met directement sur la peau (nom collectif)

Je savais qu'elle rêvait de connaître un bar américain, et qu'elle n'avait jamais osé demander à son fiancé de l'y conduire. D'ailleurs, elle n'était jamais allée dans un bar. Je lui proposai donc de l'y emmener, mais elle refusa. Une demi-heure après, ayant tout fait pour la convaincre, je l'accompagnai chez ses beaux-parents. Je voyais s'approcher la rue, sans que rien ne se produisît. Mais soudain, Marthe demanda au chauffeur du taxi de s'arrêter devant un bureau de poste.

Elle me dit:

– Attendez-moi une seconde. Je vais téléphoner à ma belle-mère que je suis dans un quartier trop éloigné pour arriver à temps.

Pendant que Marthe téléphonait, j'allai lui choisir un joli bouquet de roses rouges. Je ne pensais pas tant au plaisir de Marthe qu'à la nécessité pour elle de mentir encore ce soir pour expliquer à ses parents d'où venaient les roses. Le secret de l'académie de dessin, lors de notre première rencontre, le mensonge du téléphone et maintenant le mensonge des roses, étaient pour moi des faveurs plus douces qu'un *baiser*.

Marthe sortait de la poste, souriante après le premier mensonge. Je donnai au chauffeur l'adresse d'un bar de la rue Daunou.

L'après-midi, elle devait choisir quelques meubles pour leur chambre à coucher. Il fallait donc l'aider à choisir une chambre pour elle et un autre!

Mais j'oubliais si vite son fiancé, qu'après un quart d'heure de marche, j'aurais été très surpris si on m'avait dit que, dans cette chambre, un autre dormirait auprès d'elle.

---

baiser, action d'embrasser qn en signe d'affection

A la fin de la journée, j'étais fier de ce que j'avais fait. J'avais réussi à transformer, meuble à meuble, ce mariage d'amour en un mariage de raison, en choississant des meubles simples et sans charme aucun. Je pensais à la *nuit de noces* dans cette chambre si triste, dans «ma» chambre!

Le lendemain matin, je *guettai* dans la rue le *facteur* qui devait apporter une lettre d'absence du lycée. Il me la remit, et je la mis dans ma poche.

---

nuit de noces, la première nuit après le mariage
guetter, surveiller l'arrivée de qn
facteur, voir illustration page 26

Manquer la classe voulait dire, selon moi, que j'étais amoureux de Marthe. Je *me trompais*. Marthe ne m'était qu'un *prétexte* pour ne pas aller en classe.

La liberté me devint vite une *drogue*. Les classes m'avaient toujours été un *supplice*. Marthe et la liberté avaient fini par me les rendre *intolérables*.

Pour le malheur de René, je lui avais trop bien fait

---

se tromper, avoir des idées qui ne sont pas justes
prétexte, raison fausse que l'on donne pour cacher la vérité
drogue, médicament; ici: habitude dont on ne peut plus se passer
supplice, ce qui cause une très forte douleur; torture
intolérable, que l'on ne peut pas supporter

facteur

partager mon *vice*. Aussi, lorsqu'il m'annonça, à la fin de l'année scolaire, qu'il était *renvoyé* de Henri-IV, je crus que je l'étais moi-même. Je me décidai donc à l'apprendre à mon père, avant la lettre du *censeur*.

Le jeudi, j'attendis que mon père fût parti pour Paris pour prévenir ma mère, qui fut très *alarmée* de la nouvelle. Puis, je partis au bord de la Marne, où Marthe m'avait dit qu'elle me rejoindrait peut-être. Mais elle n'y était pas.

Après une journée de vide, de tristesse, je rentrai la tête baissée, comme il convenait. Je revins chez nous un peu après l'heure où je savais que mon père avait l'habitude d'y être. Il «savait» donc. Je me promenai dans le jardin, attendant que mon père me fît venir. Mes sœurs jouaient en silence. Elles devinaient quelque chose. Un de mes frères vint enfin me dire d'aller dans la chambre de mon père.

Des *éclats de voix,* des menaces, m'auraient permis de me révolter. Mais ce fut pire. Mon père se taisait. Ensuite, sans aucune colère, avec une voix même plus douce que d'habitude, il me dit:

– En bien, que comptes-tu faire maintenant?

Devant une telle douceur, je n'arrivais même pas à pleurer. Je répondis:

– Ce que tu m'ordonneras de faire.

– Non, ne mens pas encore. Je t'ai toujours laissé

---

vice, défaut sérieux
renvoyer (qn), ici: ne pas le garder au lycée
censeur, personne chargée de la discipline générale dans un lycée
alarmé, pris de crainte et de peur
éclat de voix, parole prononcée avec violence

agir comme tu voulais; continue. Sans doute vas-tu me faire regretter la liberté que je t'ai donnée.

Ce que je voulais, c'était faire un travail, pas plus fatigant qu'une promenade, qui me permettrait de penser à Marthe tout le temps. Je *feignis* donc de vouloir peindre et de n'avoir jamais osé le dire. Encore une fois, mon père ne dit pas non, à condition que je continue d'apprendre chez nous ce que j'aurais dû apprendre au collège, mais avec la liberté de peindre.

Quand les *liens* ne sont pas encore solides, il sùffit de manquer une fois un rendez-vous pour perdre quelqu'un de vue. En pensant tout le temps à Marthe, je finis par y penser d'une façon de moins en moins intense. Et, chose *incroyable,* j'avais même pris goût au travail. Je n'avais pas menti comme je le craignais.

---

feindre, faire semblant de
lien, tout ce qui attache, unit; ici: amitié
incroyable, qui est difficile à croire

Questions

1. Pourquoi l'auteur ne parle-t-il pas de Marthe à son ami René?

2. Pourquoi René lui paraît-il alors moins différent de ses camarades?

3. Que se passe-t-il dans l'esprit du jeune garçon lors de la visite chez les Grangier?

4. Expliquez l'attitude de l'auteur vis-à-vis de Marthe ce jour-là.

5. Quelle influence l'auteur exerce-t-il sur Marthe – et pourquoi?

6. Quelle est la réaction du père en apprenant que le jeune garçon est renvoyé du lycée?

5

villa   trottoir

Si je croyais ne plus aimer Marthe, je la considérais pourtant comme le seul amour qui eût été digne de moi. Ce qui voulait dire que je l'aimais encore.

Au mois de novembre, un mois après le mariage de Marthe, je trouvai, en rentrant chez moi, une invitation d'elle qui commençait par ces lignes: «Je ne comprends rien à votre silence. Pourquoi ne venez-vous pas me voir? Sans doute avez-vous oublié que vous avez choisi mes meubles? . . . »

Marthe habitait J...; sa rue descendait jusqu'à la Marne. Sur chaque *trottoir,* il y avait une douzaine de *villas.* Je m'étonnai que la sienne fût si grande. En réalité, Marthe habitait seulement le haut de la maison et les *propriétaires* le bas.

Quand j'arrivai à l'heure du thé, il faisait déjà nuit. En entrant dans la petite chambre qui lui servait de salon, je fus à la fois heureux et malheureux.

Marthe était *étendue* devant la *cheminée.*

– J'espère que vous aimez l'odeur du bois d'*olivier?* Ce sont mes beaux-parents qui m'en ont envoyé de leur propriété *du Midi.*

---

propriétaire, personne à qui une chose appartient
étendu, couché par terre
cheminée, voir illustration page 32
le Midi, le Sud de la France

J'étais *ravi* à cause de ce feu. Le visage calme et sérieux de Marthe ne m'avait jamais paru plus beau que dans cette lumière.

Mon esprit *s'endormait* peu à peu auprès d'elle, je la trouvai différente. Maintenant que j'étais sûr de ne plus l'aimer, je commençais à l'aimer. Mais je ne compris pas que j'étais amoureux de Marthe. Au contraire, je crus que mon amour était mort, et qu'une belle amitié l'avait remplacé. Après la *grossièreté* de mes premiers *désirs,* c'était la douceur d'un sentiment plus profond qui me trompait. Je ne me sentais plus capable d'agir comme je me l'étais promis. Je commençais à respecter Marthe, parce que je commençais à l'aimer.

Je revins tous les soirs. Mais pas un instant je ne pensais à lui demander de me montrer sa chambre, encore moins à lui demander comment Jacques trouvait nos meubles. Je ne souhaitais rien d'autre que ce bonheur éternel, nos corps étendus près de la cheminée, se touchant l'un l'autre.

olivier

Ses cheveux *dénoués,* elle aimait dormir près du feu. Ou plutôt je croyais qu'elle dormait. Son sommeil lui était prétexte pour mettre ses bras autour de mon

---

ravi, plein de joie
s'endormir, commencer à dormir
grossièreté, manque de finesse
désir, ici: sentiments amoureux
dénoué, laissé long, tombant sur les épaules

cheminée

cou, et une fois réveillée, les yeux pleins de larmes, me dire qu'elle venait d'avoir un rêve triste. Elle ne voulait jamais me le raconter. Je profitais de son faux sommeil pour respirer l'odeur de ses cheveux, son cou, ses joues brûlantes, en les touchant à peine pour qu'elle ne se réveillât point. Moi, je croyais que mon amitié pour elle me permettait d'agir ainsi. Pourtant, je réalisais avec *désespoir* que seul l'amour vous donne des droits sur une femme. Moi, je pourrai bien vivre sans amour, pensai-je, mais non sans avoir aucun droit sur Marthe. Et pour en avoir, j'étais même décidé à l'amour. Je *désirais* Marthe et ne le comprenais pas.

C'était jouer avec le feu. Un jour que je m'approchais de son visage, je sentis soudain mes lèvres contre les siennes. Elle fermait encore les yeux, mais je voyais qu'elle ne dormait pas. Je l'embrassai, *stupéfait* de mon audace, alors qu'en réalité c'était elle qui, lorsque j'approchais de son visage, avait attiré ma tête contre sa bouche.

Maintenant, elle s'était assise, elle tenait ma tête sur ses genoux, *caressant* mes cheveux, et me répétant très doucement:

– Il faut que tu t'en ailles, il ne faut plus jamais revenir.

Je n'osais pas la *tutoyer*. Lorsque je ne pouvais plus me taire, je cherchais longuement mes mots, construisant mes phrases de façon à ne pas lui parler directement.

---

désespoir, état dans lequel se trouve une personne qui a perdu tout espoir

désirer, ici: éprouver un amour très fort

stupéfait, fortement surpris

caresser, toucher de la main en signe d'affection

tutoyer, dire «tu» à une personne (signe de familiarité)

Car si je ne pouvais pas la tutoyer, je sentais combien il était encore plus impossible de lui dire «vous». Mes larmes me brûlaient. Je lui dis:

– Je ne m'en irai pas. Vous vous êtes moquée de moi. Je ne veux plus vous voir.

Car si je ne voulais pas rentrer chez mes parents, je ne voulais pas non plus revoir Marthe.

Mais elle *sanglotait:*

– Tu es un enfant. Tu ne comprends donc pas que si je te demande de t'en aller, c'est que je t'aime.

Furieux, je lui dis que je comprenais très bien qu'elle avait des devoirs et que son mari était à la guerre.

Elle secouait le tête:

– Avant toi, j'étais heureuse, je croyais aimer mon fiancé. Je lui pardonnais de ne pas bien me comprendre. C'est toi qui m'as montré que je ne l'aimais pas. Mon devoir n'est pas celui que tu penses. Ce n'est pas de ne pas mentir à mon mari, mais de ne pas te mentir. Va-t'en et ne me crois pas méchante. Bientôt tu m'auras oubliée. Mais je ne veux pas causer le malheur de ta vie. Je pleure, parce que je suis trop vieille pour toi!

Ce mot d'amour était admirable dans son *enfantillage.* Et, quelles que soient les passions que j'éprouverai plus tard, rien ne sera jamais aussi *émouvant* que de voir une fille de dix-neuf ans pleurer parce qu'elle se trouve trop vieille.

J'arrivai une demi-heure en retard pour le dîner.

---

sangloter, pleurer avec beaucoup de force
enfantillage, le fait de se conduire comme un enfant
émouvant, qui provoque de l'émotion, de la pitié

C'était la première fois. Je dis que le train était en retard, et mon père *fit semblant de* le croire.

J'étais *ivre* de passion. Marthe était à moi; ce n'est pas moi qui l'avais dit, c'était elle.

---

faire semblant de, faire comme si
ivre, qui a la tête troublée par l'alcool; ici: par l'amour

Questions

1. Pourquoi le jeune garçon est-il à la fois heureux et malheureux de se trouver dans l'appartement de Marthe, et aussi de revoir la jeune fille?

2. Pourquoi, à votre avis, trouve-t-il Marthe différente?

3. Expliquez les contradictions des sentiments du jeune homme.

4. Quelle sorte de sentiment éprouve-t-il pour Marthe?

5. Pourquoi Marthe le chasse-t-elle après le premier baiser?

6

Nous lisions ensemble à la *lueur* du feu. Elle y jetait souvent les lettres que son mari lui envoyait, chaque jour, du front. On y sentait une certaine *inquiétude,* ce qui laissait deviner que celles de Marthe devenaient de moins en moins tendres et de plus en plus rares. La vue de ces lettres dans le feu me troublait un peu. Le feu devenait pendant une seconde plus vif, et, en réalité, j'avais peur de voir plus clair.

Marthe, qui souvent maintenant me demandait s'il était vrai que je l'avais aimée dès notre première rencontre, me reprochait de ne le lui avoir pas dit avant son mariage. Elle ne se serait pas mariée, prétendait-elle.

Je ne sais quelle timidité me retenait. Le soir, seul dans mon lit, j'appelais Marthe. Je *m'en voulais,* moi qui me croyais un homme, de ne pas l'être assez pour en faire ma *maîtresse.* Chaque jour, en allant chez elle, je me promettais de ne pas partir sans qu'elle ne le fût.

Dès le début de notre amour, Marthe m'avait donné **une** *clef* **de son** appartement, pour que je ne sois pas obligé de l'attendre dans le jardin, si, par hasard, elle était en ville. Mais je pouvais me servir de cette clef d'une

clef

---

lueur, faible lumière
inquiétude, soucis et crainte
en vouloir (à qn), être fâché
maîtresse, femme liée à un homme qui n'est pas son mari

façon moins *innocente*. Nous étions un samedi. Je quittai Marthe en lui promettant de venir déjeuner le lendemain avec elle. Mais j'étais décidé à revenir le soir aussitôt que possible.

Au dîner, j'annonçai à mes parents que j'avais l'intention de faire, le lendemain, avec René, une longue promenade dans la forêt de Sénart. Pour cela, je devais partir à cinq heures du matin. Comme toute la maison dormirait encore, personne ne pourrait deviner l'heure à laquelle j'étais parti, et si j'avais été là la nuit.

Dès que ma mère entendit ce projet, elle me dit qu'elle voulait préparer elle-même un *panier* rempli de *provisions,* pour la route. J'étais furieux, car ce panier allait *détruire* tout le côté romantique de mon acte. Je pensais aux éclats de rire de Marthe en voyant paraître ce prince Charmant, un panier sous le bras.

panier

Je m'étais promis de ne pas partir avant minuit pour être sûr que mes parents dormissent. Mais comme dix heures sonnaient, et que mes parents étaient couchés depuis quelque temps déjà, je ne pus attendre. Ils couchaient au premier étage, moi au *rez-de-chaussée*. Il pleuvait. Tant mieux! la pluie couvrirait le bruit.

---

innocent, qui ne fait pas de mal
provisions, ensemble des choses que l'on mange
détruire, faire de sorte qu'il ne reste rien
rez-de-chaussée, partie d'une maison où l'on entre sans avoir à monter un escalier

Pour me rendre jusque chez Marthe, je suivis la Marne. Je décidai de cacher mon panier dans un *buisson* et de le reprendre le lendemain.

buisson

La *grille* de Marthe était fermée. Je pris la clef qu'on laissait toujours dans la *boîte aux lettres*. Je traversai le petit jardin sur la pointe des pieds, puis montai les marches du *perron*.

Je tremblai devant la porte; je ne trouvai pas le trou de la *serrure*. Enfin, je tournai la clef lentement, afin de ne réveiller personne. J'allai jusqu'à la chambre. Je m'arrêtai avec, encore, l'envie de fuir. Peut-être Marthe ne me pardonnerait jamais.

J'ouvris. Je *murmurai:*
– Marthe?

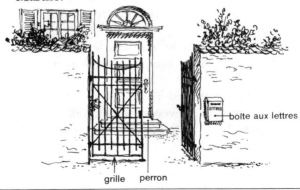

boîte aux lettres

grille   perron

serrure, voir illustration page 40
murmurer, parler à voix basse

Elle répondit:

– Plutôt que de me faire une peur pareille, tu aurais pu ne venir que demain matin. Tu as donc ta permission huit jours plus tôt?

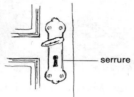

serrure

Elle me *prenait pour* Jacques!

Or, si je voyais de quelle façon elle l'eût accueilli, j'apprenais en même temps qu'elle me cachait quelque chose. Jacques devait donc venir dans huit jours!

J'allumai. Elle restait tournée contre le mur. Il était simple de dire: «C'est moi», et pourtant, je ne le disais pas. Je lui embrassai le cou.

– Ta figure est toute *mouillée*. Essuie-toi donc.

Alors, elle se retourna et poussa un cri.

D'une seconde à l'autre, elle changea d'attitude:

– Mais mon pauvre chéri, tu vas être malade! *Déshabille-toi* vite.

Elle courut allumer le feu dans le salon. A son retour dans la chambre, comme je ne *bougeais* pas, elle dit:

– Veux-tu que je t'aide?

Mais elle repartait, revenait, repartait dans la cuisine, pour voir si l'eau de mon *grog* était chaude. Enfin,

---

prendre pour, croire que c'est
mouiller, mettre de l'eau sur qn, sur qc
se déshabiller, enlever ses vêtements
bouger, changer de position
grog, boisson chaude avec de l'alcool

elle me trouva nu sur le lit, me cachant à moitié sous les *draps*. Elle me *gronda :* c'était fou de rester nu.

Puis, elle ouvrit une *armoire* et me jeta un pyjama. «Il devait être de ma taille.» Un pyjama de Jacques!

J'étais dans le lit. Marthe m'y rejoignit. Je lui demandai d'éteindre. Car, même dans ses bras, j'avais peur de ma timidité.

Je me retrouvai avec le trouble de *tout à l'heure,* avant d'entrer chez Marthe. J'avais peur de laisser à Marthe un mauvais souvenir de nos premiers moments d'amour.

Mais elle fut encore plus heureuse que moi. Son visage avait changé, il était devenu plus calme.

Comme il m'est impossible de comprendre ce que je sens la première fois, je devais connaître la joie de l'amour chaque jour davantage.

En attendant, je *ressentais* une vraie douleur d'homme : la jalousie.

Normalement, souhaiter la mort de son mari, aurait été *enfantin,* mais ce *vœu* devenait presque aussi *criminel* que si j'avais tué.

Nous pleurions ensemble; c'était la faute de bonheur. Marthe me reprochait de n'avoir pas empêché son mariage. Déjà, nous pensions à la fin de la guerre, qui

---

drap, linge blanc du lit
gronder, adresser des reproches à qn et surtout à un enfant
armoire, grand meuble avec deux portes, où l'on met du linge ou des vêtements
tout à l'heure, il y a un instant; ou: dans un instant
ressentir, recevoir une impression agréable ou pénible
enfantin, qui ne convient qu'à un enfant
vœu, souhait de voir se réaliser qc
criminel, se dit d'une faute grave contre la loi morale ou civile

serait celle de notre amour. Marthe m'expliqua pourquoi elle se trouvait trop vieille. Dans quinze ans, la vie ne ferait que commencer pour moi. Des femmes m'aimeraient, qui auraient l'âge qu'elle avait maintenant. «Je ne pourrais que souffrir», ajoutait-elle. «Si tu me quittes, j'en mourrai. Si tu restes, ce sera par faiblesse, et je souffrirai de te voir *sacrifier* ton bonheur.»

Je lui disais : «Mais non, mais non, tu es folle.» Hélas! j'aimais trop la jeunesse pour ne pas *envisager* de quitter Marthe, le jour où sa jeunesse *se fanerait*.

Maintenant qu'il ne me restait plus rien à désirer, je me sentais devenir injuste. Je reprochais à Marthe de pouvoir mentir à sa mère. Je lui reprochais même de m'avoir caché l'arrivée de son mari.

Je ne pensais rien de ce que je disais, et pourtant j'éprouvais le besoin de le dire. Il m'était impossible d'expliquer à Marthe que mon amour grandissait. Je souffrais. Je suppliai Marthe d'oublier mes *attaques*.

---

sacrifier, abandonner volontairement une chose
envisager, considérer une chose qui doit arriver
se faner, mourir (en parlant d'une fleur)
attaque, action d'attaquer; coups

Questions

1. Pourquoi Marthe brûle-t-elle les lettres de son mari devant le jeune garçon?

2. Pourquoi celui-ci invente-t-il une promenade avec René pour rejoindre Marthe?

3. Qu'y a-t-il de ridicule dans sa situation?

4. Que pensez-vous de l'attitude de Marthe?

5. Comment envisage-t-il l'avenir?

7

Un jour, la *bonne* des propriétaires glissa des lettres sous la porte. Marthe les prit. Il y en avait deux de Jacques. Comme réponse à mes doutes, elle me dit :

– Fais-en ce que tu veux.

J'eus *honte*. Je lui demandai de les lire, mais de les garder pour elle. Marthe déchira la première des *enveloppes*. Sur ma demande, elle lut quand même la seconde lettre. Après l'avoir *parcourue,* elle me dit :

– Tu avais raison, on a bien fait de ne pas déchirer celle-ci. Jacques m'y annonce que les permissions viennent d'être *suspendues,* et qu'il ne viendra pas avant un mois.

L'amour seul excuse de telles fautes de goût.

Nous déjeunâmes tard. Vers cinq heures, nous allâmes nous promener au bord de l'eau. Nous marchions, nos corps *collés* l'un contre l'autre. Les gens qui connaissaient Marthe n'osaient pas lui dire bonjour.

Je ne sais pourquoi je commençais déjà à *douter de* son amour. Je me demandais si je n'étais pas pour elle un *passe-temps.*

enveloppe

---

bonne, fille employée au service d'une maison
honte, sentiment de s'être mal conduit
parcourir, lire rapidement
suspendre, remettre à plus tard
coller, faire tenir l'un contre l'autre; ici: serrer
douter de, ne pas être sûr de qc ou qn
passe-temps, occupation légère et agréable de courte durée

Je revins à la maison à neuf heures et demie du soir. Mes parents m'interrogèrent sur ma promenade. Je leur décrivis avec enthousiasme la forêt de Sénart et ses *fougères* deux fois hautes comme moi. Je parlai aussi de Brunoy, charmant village où nous avions déjeuné.

Tout à coup, ma mère m'interrompit avec un petit sourire ironique :

fougères

– A propos, René est venu cet après-midi à quatre heures, très étonné d'apprendre qu'il faisait une grande promenade avec toi.

J'étais rouge de colère. Cette aventure, et bien d'autres, m'apprirent que je ne suis pas fait pour le mensonge. On m'y *attrape* toujours. Mes parents n'ajoutèrent rien d'autre. Ils étaient contents de leur modeste triomphe.

Mon père, d'ailleurs, était *inconsciemment complice* de mon premier amour. Il était content de me savoir aimé d'une brave fille, car il avait toujours eu peur de me voir tomber entre les mains d'une mauvaise femme.

Ma mère, elle, ne voyait pas notre *liaison d'un aussi bon œil.* Elle était jalouse. Elle regardait Marthe avec des yeux de *rivale.* Elle la trouvait antipathique, ne se

---

attraper, ici: prendre une personne qui a fait du mal
inconsciemment, sans s'en rendre compte
complice, celui qui aide à commettre une mauvaise action
liaison, union entre deux personnes qui s'aiment
d'un aussi bon œil, avec autant de plaisir
rivale, femme qui aime le même homme qu'une autre

rendant pas compte que n'importe quelle femme que j'aurais pu aimer le lui serait devenue. D'ailleurs, elle *était* très *préoccupée* par le «qu'en-dira-t-on» du village.

En effet, parce que j'avais une maîtresse, dont le mari était soldat, je vis peu à peu, et sur la demande de leurs parents, s'éloigner mes camarades.

être préoccupé, s'inquiéter fortement au sujet de qn ou de qc

Questions

1. Pourquoi les parents ne se fâchent-ils pas quand ils découvrent le mensonge du garçon?

2. Que pensent les gens de la liaison entre le jeune garçon et la femme mariée?

3. Quels sont les sentiments du père et de la mère de l'auteur? Expliquez la différence de leur réaction.

8

Je passais toutes mes nuits chez Marthe. J'y arrivais à dix heures et demie, j'en repartais le matin à cinq ou six.

A la maison, personne ne se doutait de mes absences, mais malheureusement, cela ne se passait pas ainsi à J..., où les propriétaires me voyaient d'un assez mauvais œil, me disant à peine bonjour. Depuis longtemps, Marthe était *compromise*.

Marthe m'avait supplié de venir la voir souvent, pendant la permission de Jacques, à qui elle avait déjà parlé de moi. Je refusai, ayant peur de jouer mal mon rôle. La permission devait durer onze jours. Je fis promettre à Marthe de m'écrire chaque jour.

J'attendis trois jours avant d'aller à la poste restante, pour être sûr de trouver une lettre. Il y en avait déjà quatre.

Il faut avouer que j'avais encore beaucoup à apprendre pour devenir un homme. En ouvrant la première lettre de Marthe, je me demandai comment elle faisait pour écrire aussi bien une lettre d'amour. J'oubliais que c'est très facile : il n'y est besoin que d'amour.

Je trouvai les lettres de Marthe admirables, et dignes des plus belles que j'avais lues. Marthe m'y disait des choses bien ordinaires, et son supplice de vivre loin de moi.

J'étais étonné que ma jalousie ne fût pas plus grande. Je commençais à considérer Jacques comme «le mari». Peu à peu, j'oubliais sa jeunesse, je voyais en lui un vieux monsieur.

---

compromettre, ici: mettre en danger la réputation de qn

Je n'écrivais pas à Marthe. Il y avait trop de risques. Au fond, j'étais plutôt heureux de ne pas pouvoir lui écrire, craignant de n'en être capable, et qu'elle ne trouvât mes lettres naïves.

Je profitai de ma liberté pour aller de nouveau à l'académie de dessin. Je revis aussi René, qui allait maintenant au lycée Louis-le-Grand. J'y allais le chercher tous les soirs, après mes cours de dessin. Nous nous voyions en cachette, car, depuis son départ de Henri-IV, et surtout depuis Marthe, ses parents lui avaient défendu ma compagnie.

René, pour qui l'amour semblait un poids très lourd, se moquait de ma passion pour Marthe. Ne pouvant supporter ses remarques, je lui dis que je n'aimais pas vraiment Marthe. Son admiration pour moi, qui, ces derniers temps, était devenue plus faible, grandit de nouveau *d'un seul coup.*

Jacques ne comprenait rien à l'attitude de sa femme. Marthe, qui d'habitude était plutôt *bavarde,* ne lui adressait pas la parole. S'il lui demandait : «Qu'as-tu?» elle répondait : «Rien.»

Mme Grangier eut différentes scènes avec le pauvre Jacques. Elle l'*accusait* de *maladresse* envers sa fille, regrettait de la lui avoir donnée. Elle allait même jusqu'à prétendre que le brusque changement dans le caractère

---

d'un seul coup, subitement, tout à coup
bavard, qui parle beaucoup
accuser, ici: faire des reproches
maladresse, manière d'agir qui montre un manque de finesse

de sa fille, était dû à cette maladresse. Elle voulut la reprendre chez elle. Jacques céda.

Quelques jours après son arrivée, il accompagna Marthe chez sa mère. Marthe était née dans cette maison. Chaque chose, disait-elle à Jacques, lui rappelait le temps heureux d'avant son mariage. Elle devait dormir dans sa chambre de jeune fille, mais Jacques ordonna qu'on y installât un lit pour lui. Marthe refusa. Elle finit par en faire une telle scène, que lorsque Jacques repartit, il était découragé. Les parents de Marthe croyaient que cette *crise* était due à la triste *solitude* dans laquelle vivait leur fille, car ils étaient les seuls à ignorer notre liaison.

Le lendemain du départ de Jacques, Marthe annonça à ses parents qu'elle retournait à J... Ils furent stupéfaits.

Je la revis le jour même chez elle. D'abord, je la grondai d'avoir été si méchante avec son mari. Mais quand je lus la première lettre de Jacques, je fus pris de panique. Il disait combien, si Marthe ne l'aimait plus, il lui serait facile de se faire tuer.

A partir de ce moment-là, c'est moi qui dictais à sa femme les lettres les plus tendres qu'il ait jamais reçues. Elle les écrivait en pleurant, mais je la menaçais de ne jamais revenir, si elle n'obéissait pas.

J'admirais mon attitude vis-à-vis du pauvre Jacques, alors que j'agissais par égoïsme et par crainte d'avoir un crime sur la conscience.

---

crise, période grave et soudaine
solitude, le fait de vivre seul

Questions

1. Montrez en quoi l'auteur reste toujours très enfant.

2. Quels sont les sentiments de Marthe quand Jacques arrive en permission?

3. Quelle est l'attitude des parents vis-à-vis de Jacques?

4. Quelle est la réaction de Jacques devant la situation?

5. Quels sont les sentiments de l'auteur vis-à-vis du mari? Comment agit-il envers lui?

rame

canot

9

Nous étions au mois de mai! A cause de ses propriétaires, je rencontrais Marthe moins souvent chez elle, et n'y couchais que si je pouvais *inventer* chez moi un mensonge pour y rester le matin. Je l'inventais une ou deux fois par semaine, et chaque fois cela réussit. En réalité, mon père ne me croyait pas, mais il fermait les yeux, à la seule condition que ni mes frères ni les domestiques ne l'apprissent. Il me suffisait donc de dire que je partais à cinq heures du matin, comme le jour de ma promenade à la forêt de Sénart. Mais ma mère ne préparait plus de panier.

Quand je ne couchais pas chez Marthe, nous nous promenions après dîner, le long de la Marne, jusqu'à onze heures. Je détachais le *canot* de mon père. Marthe *ramait*, tandis que j'étais couché, ma tête sur ses genoux. Je la gênais. Soudain, un coup de rame me frappant me rappelait que cette promenade ne durerait pas toute la vie.

Dans les premiers jours de juin, Marthe reçut une lettre de Jacques où, enfin, il ne lui parlait pas que de son amour. Il était malade. On allait le transporter à l'hôpital de Bourges. Passant par J..., le lendemain, il suppliait Marthe de guetter son train sur le quai de la gare. Marthe me montra cette lettre. Elle attendait un ordre. L'amour lui avait donné une nature d'*esclave*.

---

inventer, imaginer une chose que l'on prétend réelle; créer une chose
esclave, personne qui, achetée par un maître, dépend complètement de celui-ci

Selon moi, mon silence voulait dire que je *consentais*. Pouvais-je l'empêcher d'apercevoir son mari pendant quelques secondes? Elle garda le même silence. Donc, je croyais qu'on s'était compris, et je n'allai pas chez elle le lendemain.

Le *surlendemain* matin, on m'apporta chez mes parents un *mot* qu'on ne devait remettre qu'à moi. Il était de Marthe. Elle m'attendait au bord de l'eau. Elle me suppliait de venir, si j'avais encore de l'amour pour elle.

Je courus jusqu'au banc sur lequel Marthe m'attendait. Sa façon froide de me dire bonjour me surprit. Je crus son cœur changé.

Simplement, Marthe avait pris mon silence pour un silence *hostile*. Je lui expliquai que si je n'étais pas venu hier, c'était par respect pour ses devoirs envers son mari malade. Mais elle ne me crut qu'à moitié. Je l'embrassai et lui dis :

– Le silence ne nous réussit pas.

Nous nous promîmes de ne rien nous cacher dans le futur.

A J . . . , Jacques avait *cherché des yeux* Marthe à la gare, mais elle n'y était pas. Il lui écrivit donc une seconde lettre, la suppliant de venir à Bourges.

– Il faut que tu partes, lui dis-je.

– J'irai, dit-elle, si tu m'accompagnes.

C'était aller trop loin dans la naïveté. Mais je restai calme et lui expliquai doucement qu'il fallait qu'elle y aille seule.

---

consentir, donner son accord
surlendemain, le jour qui suit le lendemain
mot, ici: lettre très brève
hostile, se dit d'un acte qui montre un sentiment d'opposition
chercher des yeux (qn), regarder pour trouver qn

Elle refusa. Craignant une nouvelle crise, je lui dis donc que je ne voyais aucun crime à ce qu'elle n'allât pas à Bourges. Je lui trouvai des motifs pour l'excuser: fatigue du voyage, proche *convalescence* de Jacques, etc.

Depuis quelques jours, Marthe semblait distraite. J'aurais pu l'expliquer par l'approche du quinze juillet, date à laquelle elle devait partir rejoindre la famille de Jacques, et Jacques en convalescence, sur une *plage* de *la Manche*. Maintenant, c'était Marthe qui se taisait, *sursautant* au bruit de ma voix. Elle supportait tout: visites de famille, ironie de sa mère, et mille autres épreuves désagréables.

Pourquoi supportait-elle tout? Etait-ce la suite de mes leçons lui reprochant d'attacher trop d'importance aux choses, d'être trop sensible? Elle paraissait heureuse, mais d'un bonheur singulier que je ne pouvais pas partager.

Marthe n'osait pas m'apprendre qu'elle *était enceinte*.

plage

convalescence, repos après une grave maladie
la Manche, mer entre la France et l'Angleterre
sursauter, faire un mouvement brusque causé par un sentiment violent
être enceinte, attendre un enfant

J'aurais voulu paraître heureux de cette nouvelle, mais elle me stupéfia. N'ayant jamais pensé que je pouvais devenir *responsable* de quoi que ce fût, je l'étais maintenant. Pour Marthe, cet enfant signifiait que Dieu *récompenserait* notre amour, et non pas qu'il punissait un crime.

Alors que Marthe trouvait maintenant dans sa *grossesse* une raison pour que je ne la quitte jamais, cette grossesse me fit peur. A notre âge, il me semblait impossible, injuste, que nous eussions un enfant qui *gâcherait* notre jeunesse. En plus de cela, nous serions sûrement *abandonnés* de nos familles.

Je n'agissais plus jamais comme si nous étions seuls. Il y avait toujours un *témoin* près de nous, à qui nous devions rendre compte de nos actes. Je pardonnais mal ce brusque changement dont je rendais Marthe seule responsable, et pourtant, je sentais que je lui aurais moins encore pardonné si elle m'avait menti. A certains moments, je croyais que Marthe mentait pour faire durer un peu plus notre amour, mais que son fils n'était pas le mien.

Comme un malade qui recherche le calme, je ne savais plus de quel côté me tourner. Je sentais ne plus aimer la même Marthe, et que mon fils ne serait heureux qu'à la condition de se croire celui de Jacques. Mais cette pensée me fit peur. Il faudrait quitter Marthe.

---

responsable, qui a une obligation envers une personne qui dépend de soi; qui a la charge morale de qn

récompenser, donner qc à une personne parce qu'elle l'a méritée

grossesse, état d'une femme qui attend un enfant

gâcher, faire beaucoup de mal; nuire à

abandonner qn, le laisser seul sans lui venir en aide

témoin, celui qui a vu ou entendu qc.

Car un jour Jacques reviendrait. Comme tant d'autres soldats trompés, il retrouverait sa femme. Et cet enfant ne pouvait s'expliquer pour lui, que si Marthe supportait son contact pendant les vacances.

Questions

1. Pourquoi Marthe ne va-t-elle pas à la gare voir son mari?

2. Pourquoi envoie-t-elle une lettre au jeune garçon?

3. Que représente l'attente d'un enfant pour Marthe?

4. Quelle est la réaction de l'auteur quand il apprend que Marthe attend un enfant?

10

La date du départ de Marthe approchait. J'avais décidé de profiter de cette absence pour en faire un essai. J'espérais oublier Marthe. Si je n'y parvenais pas, si mon amour était trop fort pour mourir, je savais bien que je retrouverais Marthe aussi fidèle.

Elle partit le douze juillet, à sept heures du matin. Elle me laissait sa clef, me demandant de venir, de penser à nous, et de lui écrire sur sa table.

Revenu chez moi, habitué à n'y vivre qu'en attendant de me rendre chez Marthe, je tâchai de me distraire. Je m'occupai du jardin, j'essayai de lire, je jouai avec mes sœurs, ce qui ne m'était pas arrivé depuis cinq ans. Le soir, pour ne pas *éveiller de soupçons,* j'allai me promener. Mais la vue de la Marne, que j'aimais tant, m'était maintenant pénible. Etendu dans le canot, je souhaitai la mort, pour la première fois.

J'attendais le facteur. C'était ma vie. J'étais incapable du moindre effort pour oublier. Dès qu'une lettre arrivait, je l'ouvrais vite en déchirant l'enveloppe. Chaque fois, honteux, je me promettais de garder la lettre un quart d'heure, sans l'ouvrir.

Un jour, furieux de ma faiblesse, je déchirai une lettre sans la lire. Dès que les morceaux de papier furent par terre dans le jardin, je me précipitai pour les *ramasser.*

éveiller de soupçons, attirer la méfiance
ramasser, prendre ce qui est par terre

La lettre contenait une photo de Marthe, et j'avais déchiré son visage. Je pris cela comme un symbole. Depuis, la crainte qu'il arrive un malheur à Marthe ne me quitta plus.

Questions

1. Pensez-vous que le jeune garçon fasse vraiment un effort pour oublier Marthe?

2. Dans ce chapitre, quels sont les détails qui transforment le roman en tragédie?

3. Quels sentiments l'absence de Marthe provoque-t-elle chez le jeune garçon?

11

Quand Marthe revint, aux derniers jours d'août, elle n'habita pas J . . . , mais la maison de ses parents, qui étaient restés à la campagne.

Sa chambre de jeune fille, où elle avait refusé la présence de Jacques, était notre chambre. Je me promenais, ravi, dans cette maison où elle était née et avait grandi. Ici, me parlaient de Marthe tous ces meubles auxquels elle avait dû se *cogner* la tête, quand elle était petite. Et puis, nous vivions seuls, sans propriétaire, sans parents. Mon père n'avait jamais pu obtenir que je m'occupe de notre jardin, comme mes frères, mais je soignais celui de Marthe avec tout l'orgueil d'homme que j'aurais mis à satisfaire le désir d'une femme.

Ainsi, cette dernière semaine d'août et ce mois de septembre furent-ils ma seule époque de vrai bonheur. J'envisageais à seize ans un genre de vie qu'on souhaite à l'âge *mûr*.

Etendu sur la *pelouse,* caressant sa figure avec un *brin d'herbe,* j'expliquais lentement à Marthe, quelle serait notre vie. Marthe, depuis son retour, cherchait un appartement pour nous à Paris. Ses yeux se mouillèrent, quand je lui déclarai que je désirais vivre à la campagne.

– Je n'aurais jamais osé te le proposer, me dit-elle. Je croyais que tu t'ennuierais seul avec moi, que tu avais besoin de la ville.

– Comme tu me connais mal, répondais-je. J'aurais

---

cogner, frapper fortement, donner un coup
mûr, ici : qui a atteint tout son développement

pelouse

brin d'herbe

voulu habiter près de Mandres, où nous étions allés nous promener un jour, et où on *cultive* les roses.

Marthe disait:

– Les roses n'ont qu'une saison. Après, ne crains-tu pas de trouver Mandres laide? N'est-il pas sage de choisir un lieu moins beau, mais d'un charme plus égal?

C'était bien moi! L'envie de jouir pendant deux mois des roses me faisait oublier les dix autres mois de l'année, et le fait de choisir Mandres m'apportait encore une preuve de la nature *passsagère* de notre amour.

A la fin de septembre, je sentis bien que quitter cette maison, c'était quitter le bonheur. Encore quelques mois de grâce, et il nous faudrait choisir, vivre dans le mensonge ou dans la vérité. Comme il était important que Marthe ne fût pas abandonnée de ses parents, avant la *naissance* de notre enfant, j'osai enfin lui demander si elle avait prévenu Mme Grangier de sa grossesse. Elle me dit que oui, et qu'elle avait même prévenu Jacques.

J'eus donc une occasion de constater qu'elle me mentait parfois, car, au mois de mai, après le séjour de Jacques, elle m'avait juré qu'il ne l'avait pas approchée.

---

cultiver, faire pousser une plante,
passager, -ère, ici : de courte durée
naissance, action de naître

Questions

1. Quels sont les traits romantiques et poétiques de ce chapitre?

2. Malgré la beauté du texte, n'y a-t-il pas une atmosphère de tristesse?

3. Pourquoi le jeune garçon et Marthe sont-ils heureux pendant cette période?

12

Mon père commençait à s'effrayer. Un jour, il se décla-
rait prêt à tout pour me séparer de Marthe. Il voulait
prévenir ses parents, son mari . . . Mais le lendemain, il
ne m'en parlait plus, et me laissait libre.

Je devinais sa faiblesse et j'en profitais. J'osais
répondre. N'avait-il pas voulu que je connusse Marthe?
Il se plaignait à son tour. Une atmosphère tragique
régnait dans la maison. Quel exemple pour mes frères!

A vrai dire, mon père avait toujours considéré ma
liaison avec Marthe comme une *amourette,* mais un jour
ma mère surprit une lettre de Marthe, où elle parlait
de notre avenir et de notre enfant!

Ma mère me considérait trop encore comme un
enfant, pour croire que j'allais être père. En plus, il lui
paraissait impossible d'être grand-mère à son âge, ce
qui était la meilleure preuve que cet enfant n'était
pas le mien.

Avec sa profonde honnêteté, elle ne pouvait admettre
qu'une femme trompât son mari. Cet acte lui paraissait
si *vilain* qu'il ne pouvait s'agir d'amour. Mon père, lui,
avait honte. Il me menaçait, plus furieux contre
lui-même que contre moi.

Mme Grangier avait dû, à son retour de la campagne,
supporter les questions des voisins. Feignant de croire
que j'étais un frère de Jacques, ils lui apprenaient
tout sur notre vie. Mais la mère de Marthe nous par-
donnait, certaine que l'enfant, qu'elle croyait de Jacques,
mettrait un *terme* à l'aventure.

---

amourette, amour passager; amour de peu d'importance
vilain, qui n'est pas beau
terme, fin

Les parents de Jacques, que Marthe visitait de moins en moins, ne pouvaient, habitant Paris, rien soupçonner. Simplement, Marthe leur apparaissait toujours plus étrange, leur déplaisait de plus en plus. Ils étaient inquiets de l'avenir. Ils se demandaient ce que serait ce *ménage* dans quelques années.

Pourtant, quels que fussent les soupcons des familles, personne ne pensait que l'enfant de Marthe pût avoir un autre père que Jacques. J'en étais assez *vexé.* Il y avait même des jours où j'accusais Marthe d'être *lâche,* pour n'avoir pas encore dit la vérité.

Questions

1. Quelle est la réaction des parents du garçon lorsqu'ils découvrent la vérité?

2. N'y a-t-il pas de la faiblesse dans le caractère du père?

3. Pourquoi la mère de Marthe pardonne-t-elle?

4. Pourquoi l'auteur est-il fâché que l'on prenne son enfant pour celui de Jacques?

---

ménage, couple marié
vexé, se sentir humilié
lâche, qui manque de courage

13

Je ne faisais plus attention aux lettres que mon père m'envoyait chez Marthe. C'est elle qui me suppliait de rentrer à la maison de temps en temps, de me montrer raisonnable. Alors, je criais :

– Vas-tu, toi aussi, prendre parti contre moi?

Elle voyait bien que la seule pensée de m'éloigner d'elle pour quelques heures, me rendait fou. Cette certitude d'être aimée lui donnait une assurance que je ne lui avais jamais vue. Sûre que je penserais à elle, elle *insistait* pour que je rentre.

Je m'aperçus vite d'où venait son courage. Je commençai à changer de *tactique* lui donnant raison. Alors, tout à coup, elle avait une autre figure. A me voir si sage, elle avait peur que je ne l'aime moins. A son tour, elle me suppliait de rester, tant elle avait besoin d'être rassurée.

Pourtant, une fois, on ne put se mettre d'accord. Depuis déjà trois jours, je n'avais mis les pieds chez mes parents, et je dis à Marthe mon intention de passer encore une nuit avec elle. Elle essaya tout pour me détourner de cette décision : caresses, menaces. Elle finit par déclarer que, si je ne rentrais pas chez mes parents, elle coucherait chez les siens.

Je répondis que mon père n'apprécierait pas ce beau geste. – Eh bien! elle n'irait pas chez sa mère, elle irait au bord de la Marne. Elle prendrait froid, puis mourrait. Ainsi elle serait enfin *délivrée* de moi. Je l'accusai de vouloir me tromper, puis de ne pas me

---

insister, demander avec force
tactique, art de manœuvrer pour arriver à un résultat
délivrer, rendre libre

répondre et je continuai si bien mon travail, qu'elle consentit enfin à passer la nuit avec moi. A condition que ce ne fût pas chez elle.

Mais, où dormir?

Il nous fallait donc coucher à l'hôtel. Je n'y étais jamais allé, et je tremblais à l'idée d'en *franchir le seuil*.

Vis-à-vis même d'un garçon d'hôtel, je pensais être obligé de me *justifier*. Nous demanderions deux chambres, ainsi on nous croirait frère et sœur.

Le voyage, à onze heures du soir, nous parut *interminable*. Il y avait deux personnes dans notre wagon qui n'était ni chauffé ni éclairé. Marthe appuyait sa tête contre la *vitre* humide. Elle cédait au *caprice* d'un jeune garçon *cruel*. J'étais assez honteux, et je souffrais, pensant combien Jacques, toujours si tendre avec elle, méritait mieux que moi d'être aimé.

Je ne pus m'empêcher de le lui dire, à voix basse. Elle secoua la tête et murmura :

– J'aime mieux être malheureuse avec toi qu'heureuse avec lui.

Voilà de ces mots d'amour qui ne veulent rien dire, mais qui, prononcés par la bouche aimée, vous rendent comme ivre.

Nous descendîmes à la Bastille. Il faisait très froid, et Marthe se plaignait. Elle *s'accrochait* à mon bras, et nous avions l'air d'un petit couple *lamentable*.

---

franchir le seuil, traverser, passer la porte d'entrée
justifier, ici: trouver une raison à sa présence, à sa conduite
interminable, qui ne prend pas fin
vitre, le verre d'une fenêtre
caprice, idée soudaine et passagère
cruel, qui aime faire souffrir
s'accrocher, se suspendre à
lamentable, qui fait pitié

Nous *errions* sous la pluie, entre la Bastille et la gare de Lyon. A chaque hôtel, pour ne pas entrer, j'inventais une mauvaise excuse. Je disais à Marthe que je cherchais un hôtel mieux que cela.

Place de la gare de Lyon, je ne trouvai plus d'excuse. Marthe me supplia de m'arrêter. Tandis qu'elle attendait dehors, j'entrai dans le *vestibule* de l'hôtel, espérant je ne sais trop quoi. Le garçon me demanda si je désirais une chambre. Il aurait été facile de répondre oui. Mais je sortis, expliquant à Marthe qu'il n'y avait plus de place, et que nous n'en trouverions pas dans le quartier. Je respirai.

Jusqu'à ce moment, mon idée *fixe* de fuir les hôtels m'avait empêché de penser à Marthe. Maintenant, je la regardais, la pauvre petite. Je retins mes larmes et quand elle me demanda où nous chercherions un lit, je la suppliai de ne pas me croire fou, mais de retourner sagement, elle à J . . ., moi chez mes parents.

Cette nuit des hôtels décida de tout, mais je ne m'en rendis pas compte sur le moment. Si je croyais que la vie

vestibule

errer, aller çà et là, sans savoir où l'on va
fixe, qu'on ne peut pas changer

68

pût continuer ainsi, Marthe, elle, dans le coin du wagon de retour, *épuisée,* souffrant du froid, comprit tout. Peut-être même vit-elle qu'au bout de cette course d'une année, dans une voiture follement conduite, il ne pouvait y avoir d'autre *issue* que la mort.

Questions

1. Pourquoi décident-ils de passer la nuit à l'hôtel?

2. Pourquoi le jeune garçon hésite-t-il à choisir un hôtel?

3. Réalise-t-il que Marthe souffre ce soir-là?

4. Quel amour vous paraît le plus fort? Celui de l'auteur pour Marthe, ou l'amour que Marthe éprouve pour le jeune garçon?

5. Que pensez-vous de l'attitude de Marthe devant cette pénible nuit?

6. Pourquoi une telle vie n'est-elle plus possible?

épuisé, qui n'a plus de forces
issue, (f.), événement final

14

Le lendemain, je trouvais Marthe au lit. Elle avait de la fièvre. Elle me dit, en souriant, pour ne pas avoir l'air de me faire un reproche, que c'était la veille qu'elle avait dû *prendre froid.*

Deux jours après, en arrivant à la maison de Marthe, je rencontrai le docteur dans l'escalier. Je n'osai pas l'interroger, et le regardai *anxieusement.* Son air calme me fit du bien.

J'entrai chez Marthe. Où était-elle? La chambre était vide. Marthe pleurait, la tête cachée sous les draps. Le médecin lui avait donné l'ordre de *garder la chambre* jusqu'à l'*accouchement.* De plus, son état demandait des *soins,* et il fallait qu'elle aille habiter chez ses parents. On nous séparait.

On ne peut pas accepter le malheur. Seul, *le bonheur semble dû.* En admettant cette séparation sans révolte, je ne montrais pas de courage. Simplement, je ne comprenais pas. Je ne compris que nous n'allions plus nous voir, que lorsqu'on vint annoncer à Marthe la voiture envoyée par le docteur.

Je quittais Marthe sans prendre les moindres dispositions pour lui écrire, presque sans lui dire au revoir, comme une personne qu'on doit rejoindre une heure après.

Ma mère remarqua que j'avais les yeux rouges. Mes

---

prendre froid, tomber malade à cause de froid
anxieusement, d'une façon inquiète, due à l'incertitude
garder la chambre, rester au lit
accouchement, le fait de donner naissance à un enfant
soins (pl.), traitements médicaux pour soigner une maladie
le bonheur semble dû, i.e. le bonheur est une chose naturelle, tout le monde y a droit

sœurs rirent parce que je laissais deux fois de suite retomber ma cuillère à soupe. Au bout de quelques jours, le mal, devenu moins fort, me laissa le temps de penser.

Les parents de Marthe n'avaient plus à deviner grand-chose. Ils prenaient mes lettres et les brûlaient devant elle, sans qu'elle les ait lues, dans la cheminée de sa chambre. Les siennes, écrites au crayon, étaient à peine *lisibles*. Son frère les mettait à la poste.

Maintenant, il n'y avait plus de scènes de famille. Je reprenais les bonnes conversations avec mon père, le soir, devant le feu. En un an, j'étais devenu un étranger pour mes sœurs. Elles *se réhabituaient* à moi. Je prenais la plus petite sur mes genoux, jouais avec les autres. Je pensais à mon enfant, mais j'étais triste. Il me semblait impossible d'avoir pour lui une tendresse plus forte que celle que j'éprouvais pour mes sœurs. Etais-je mûr pour qu'un bébé me fût autre chose que frère ou sœur?

Mon père me conseillait des distractions. Mais qu'avais-je à faire, sauf ce que je ne ferais plus? Au bruit de la *sonnette,* au passage d'une voiture, je

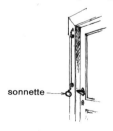

sonnette

---

lisible, qui peut être lu sans difficulté
se rehabituer, s'habituer de nouveau

tressaillais. Je guettais dans ma prison les moindres signes de délivrance.

A force de guetter des bruits qui pouvaient annoncer quelque chose, mes oreilles, un jour, entendirent des *cloches*. C'étaient celles de l'*armistice*.

Pour moi, l'armistice signifiait le retour de Jacques. Déjà, je le voyais auprès de Marthe, sans qu'il me fût possible d'agir. J'étais perdu.

cloche

---

tressaillir, faire un petit saut sous l'effet d'une émotion
armistice, poser les armes pour mettre fin à la guerre

Questions

1. Pourquoi le jeune garçon quitte-t-il Marthe sans lui dire au revoir?

2. Comment se manifeste la douleur du jeune garçon?

3. Quels sont les sentiments de l'auteur vis-à-vis de l'enfant qui va naître?

4. Que pensez-vous de l'attitude des parents de Marthe?

15

Quelques jours après, Marthe m'écrivit. Elle parlait de notre avenir, sur un ton spécial, sérieux, qui me troublait un peu. Serait-il vrai que l'amour est la forme la plus violente de l'égoïsme, car, cherchant une raison à mon trouble, je me dis que j'étais jaloux de notre enfant, dont Marthe aujourd'hui me parlait plus que de moi-même.

L'enfant devait naître en mars. Un vendredi de janvier, mes frères vinrent nous annoncer que le petit Grangier avait un neveu. Dans le neveu du petit Grangier, je ne reconnus pas tout de suite l'enfant de Marthe – mon enfant.

Et tout à coup, il fit noir en moi. Dans cette nuit, je me cherchais, je cherchais des dates, des détails. Qu'était-ce que cet enfant que nous attendions pour mars et qui naissait en janvier? Tout de suite, ma certitude fut faite. Cet enfant était celui de Jacques. N'était-il pas venu en permission neuf mois *auparavant?* Ainsi, depuis ce temps, Marthe me mentait.

Je n'avais jamais pensé vraiment que cet enfant pût être celui de Jacques. Et si, au début de la grossesse de Marthe, j'avais pu souhaiter lâchement qu'il en fût ainsi, il me fallait bien avouer, aujourd'hui, que j'aimais cet enfant, cet enfant qui n'était pas le mien. Pourquoi fallait-il que j'aie le cœur d'un père, juste au moment où j'apprenais que je ne l'étais pas!

---

auparavant, avant

Je ne comprenais plus rien. En plus, j'appris que Marthe avait donné mon nom à ce fils *légitime.* Je voyais là un manque de *tact,* une faute de goût.

J'avais commencé une lettre *d'injures,* mais je finis par la déchirer. J'en écrivis une autre, où je laissai parler mon cœur. Je demandais pardon à Marthe. Pardon de quoi? Sans doute que ce fils fût celui de Jacques. Je la suppliais de m'aimer quand même.

J'acceptais presque cet enfant de l'autre. Mais, avant même que j'eusse fini ma lettre, j'en reçus une de Marthe, *débordante* de joie. – Ce fils était le nôtre, né deux mois avant terme. «J'ai *failli* mourir», disait-elle. Cette phrase m'amusa comme un enfantillage.

Car je n'avais place que pour la joie. J'eusse voulu faire part de cette naissance au monde entier, dire à mes frères qu'eux aussi étaient oncles. Avec joie, je me *méprisais:* comment avoir pu douter de Marthe? Ces *remords,* mêlés à mon bonheur, me la faisaient aimer plus fort que jamais, mon fils aussi. Après tout, j'étais content d'avoir fait connaissance, pour quelques instants, avec la douleur.

Dans sa lettre, Marthe me disait encore : «Il te ressemble.» J'avais vu des *nouveau-nés,* mes frères et mes sœurs, et je savais que seul l'amour d'une femme peut lui faire découvrir la ressemblance qu'elle souhaite.

Chez les Grangier, aucun doute n'existait plus. Ils

---

légitime, ici : se dit d'un enfant qui naît d'un couple marié
tact, sentiment de ce qu'on peut (ou ne peut pas) dire ou faire
injure, parole qui offense
déborder, ici : avoir plus de joie qu'on ne peut exprimer
faillir, être bien près de
mépriser, juger qu'une personne ne vaut rien
remords, sentiment de reproche, de regret, à l'égard de soi-même
nouveau-né, enfant qui vient de naître

étaient furieux contre Marthe, mais se taisaient pour éviter un scandale. On demanda au médecin de trouver une explication pour le mari.

Questions

1. L'amour du jeune garçon pour Marthe vous paraît-il égoïste?

2. Quels sont les sentiments de l'auteur quand il apprend la naissance de l'enfant?

3. Analysez et expliquez les sentiments contradictoires de l'auteur.

16

foudre

Notre maison reprenait son calme. Je me croyais plus tendre à cause de mon bonheur, et un meilleur fils parce que j'en avais un. Or, ma tendresse me rapprochait de mon père, de ma mère, parce que quelque chose savait en moi que j'aurais, bientôt, besoin de la leur.

Un jour, à midi, mes frères revinrent de l'école en nous criant que Marthe était morte.

La *foudre* qui tombe sur un homme est si rapide qu'il ne souffre pas. Mais c'est pour celui qui est à côté un triste spectacle. Tandis que je ne ressentais rien, le visage de mon père se transformait. Il poussa mes frères. «Sortez», cria-t-il. «Vous êtes fous, vous êtes fous.» Moi, j'avais la sensation de devenir dur et froid. Ensuite, en une seconde, je vis tous les souvenirs de mon existence. Parce que mon père pleurait, je sanglotais. Alors, ma mère m'aida à me coucher, elle me soigna, comme si j'étais malade.

Marthe! Ma jalousie la suivant jusque dans la *tombe*, je souhaitais qu'il n'y eût rien après la mort, pour qu'elle n'ait pas de compagnie.

---

tombe, endroit où l'on met un mort

Questions

1. Quelle est la réaction de l'auteur en apprenant la mort de Marthe?

2. Quelle est l'attitude de ses parents?

3. Comment se manifeste une dernière fois la jalousie de l'auteur?

17

La seule fois que j'aperçus Jacques, ce fut quelques mois après. Sachant que mon père possédait des peintures de Marthe, il désirait les connaître.

Souhaitant voir l'homme auquel Marthe avait accordé sa main, je me dirigeai vers la porte du salon, qui était restée ouverte. J'arrivai juste pour entendre:

– Ma femme est morte en appelant son fils. Pauvre petit! N'est-ce pas ma seule raison de vivre?

En voyant ce *veuf* si digne et dominant son désespoir, je compris que la nature, à la fin, arrange bien les choses. Ne venais-je pas d'apprendre que Marthe était morte en m'appelant, et que mon fils aurait une existence raisonnable?

---

veuf, homme qui a perdu sa femme

Questions

1. Pourquoi l'auteur souhaite-t-il voir Jacques?

2. Pourquoi Marthe a-t-elle donné à son fils le nom de l'auteur?

3. Quels sont les sentiments de l'auteur en voyant Jacques et en apprenant la façon dont Marthe est morte?

Questions générales

1. Que pensez-vous de cette histoire?

2. Quels sont vos sentiments par rapport à Marthe et au jeune garçon?

3. Etudiez la façon dont l'amour naît et se développe chez le jeune garçon.

4. Que pensez-vous de l'analyse de l'amour dans ce livre?

5. Quel amour Marthe éprouvait-elle?